U0166420

图书在版编目（CIP）数据

刘兴诗爷爷讲星空. 夏 / 刘兴诗文 ; 一叶一画绘
. -- 北京 : 中国致公出版社, 2020
ISBN 978-7-5145-1544-2

Ⅰ. ①刘… Ⅱ. ①刘… ②一… Ⅲ. ①天文学－儿童
读物 Ⅳ. ①P1-49

中国版本图书馆CIP数据核字(2019)第236447号

刘兴诗爷爷讲星空. 夏 / 刘兴诗文 ; 一叶一画绘.

出　　版　中国致公出版社
（北京市朝阳区八里庄西里100号住邦2000大厦1号楼西区21层）
出　　品　湖北知音动漫有限公司
（武汉市东湖路179号）
发　　行　中国致公出版社（010-66121708）
图书策划　李　潇　周寅庆　李　爽
责任编辑　周寅庆　李　爽
装帧设计　李艺菲
印　　刷　武汉市金港彩印有限公司
版　　次　2020年7月第1版
印　　次　2020年7月第1次印刷
开　　本　787mm×1092mm　1/12
印　　张　4
字　　数　60千字
书　　号　ISBN 978-7-5145-1544-2
定　　价　45.00元

刘兴诗爷爷讲星空

刘兴诗 文
一叶一画 绘

夏

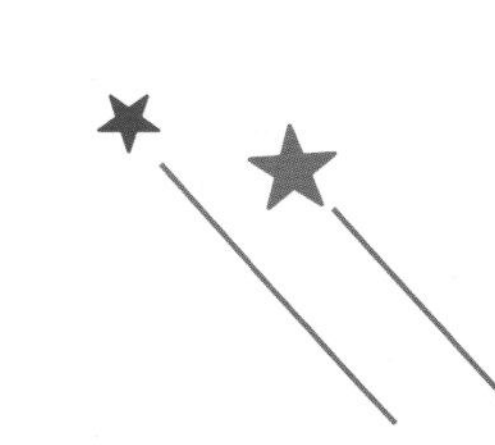

中国致公出版社

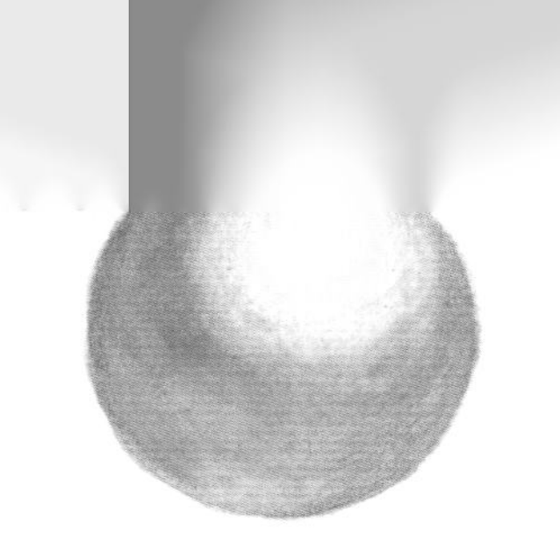

仰望星空

刘兴诗

星空，多么神秘、多么遥远。一颗颗亮晶晶的星星，好像远方的精灵，一闪一烁，诱引着孩子们的心。世界上没有一个孩子不喜欢天上的星星，不想知道星星的秘密。

奶奶讲的牛郎织女的故事是真的吗？银河是不是一条河，里面有水吗？古诗和民间传说里提到的许多星空神话，到底是怎么一回事？

一个个星空的问题，把孩子们的心儿搔得痒痒的，得好好给他们讲一下星空的知识才好。

请记住，这是孩子们的需要，也是一个崭新时代的要求。我们正面临的，是一个大宇宙的时代。需要许许多多未来的哥伦布，去认识和发现宇宙空间的新大陆。不言而喻，在这样的时代来临时，天文学的基本知识多么重要。

学习天文学从哪里起步？先从咱们头顶的星空开始吧。

满天星斗密密麻麻的，怎么认识清楚呢？有办法！我们的老祖宗早就把天上的恒星划分为三垣、四象、二十八宿，这样就容易认识了。三垣就是北方天空中的紫微垣、太微垣和天市垣。四象、二十八宿是这么划分的：

东方苍龙包括角、亢、氐、房、心、尾、箕，七个宿。

南方朱雀包括井、鬼、柳、星、张、翼、轸，七个宿。

西方白虎包括奎、娄、胃、昴、毕、觜、参，七个宿。

北方玄武包括斗、牛、女、虚、危、室、壁，七个宿。

西方的观星方法则是划分许许多多的星座。其中北天拱极星座5个，北天星座19个，黄道星座12个，赤道带星座10个，南天星座42个。每一个星座都有自己的故事。

听说过斗转星移这句话吗？尽管天上的恒星位置没有变化，可是由于我们的地球在咕噜噜转动，随着时间变化，看见的天上的星星不一样。

我们在这儿介绍的每月星空，一般是每个月开始的1日晚上9点，15日晚上8点，30日傍晚7点钟左右，出现在头顶的星空图景。

手里拿着一张星图，怎么看？请你按照上面所说的规定时间，把星图倒拿在头顶，图上的方向和真实的方向一个样。这时候，就可以用星图对比天上的星星，一个个找出来了。如果早一个小时，就把头顶倒拿的星图，顺时针方向移动15度就成啦。如果晚一个小时，就把星图逆时针方向移动15度。

书中的四季是怎么划分的呀？本书中的四季是以我国传统的二十四节气为标准划分，立春、立夏、立秋、立冬分别为四季之首。

但你会疑惑，2月立春了，可是为什么有的地方还在下雪呀？8月秋天来了，为什么有的地方还这么热呢？这是由于我国地域太辽阔了，各地气候不一，按照“四立”划分的四季与实际气候并不完全符合的缘故。

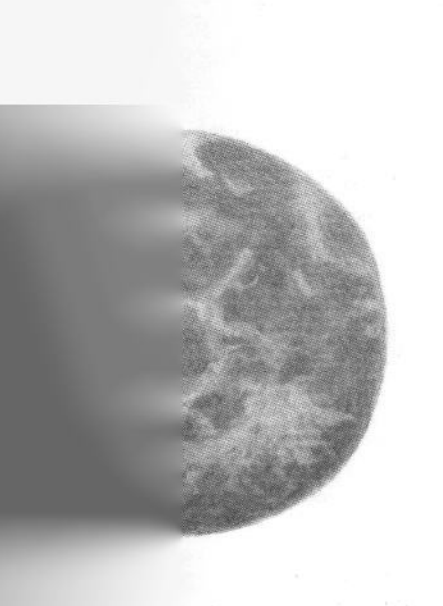

书中还有许多许多秘密，请你翻开这四本书，一页页看下去吧。

目录
contents

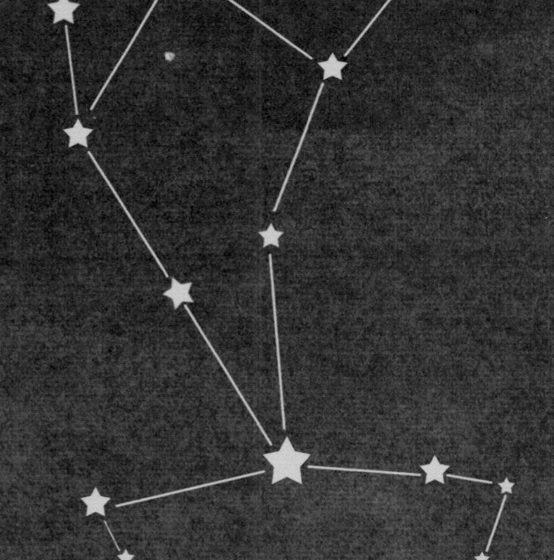

扫码免费得 8 节星空小课！

5月星空的大熊座

大熊座是北天的星座，面积 1280 平方度，是全天 88 星座中第 3 大的星座。在北纬 40° 以北的地区，也就是在北京和希腊以北的地方，一年四季都可以见到大熊座。

瞧，北斗七星高高挂在天上，七颗星星连起来像一个舀酒的勺子。

北斗，从古到今谁不知道它？人们常常说“满天星斗”，北斗七星就是众星的代表。欸，七颗星星连起来仅仅是一个酒勺的图形吗？

古希腊人说，这是大熊座啊，北斗七星就是大熊的尾巴。

大熊在夜空中缓缓而来，旁边还跟着一只小熊，小熊尾巴上挂着一颗闪闪发光的北极星，北极星指示北方，帮夜里的人们辨认方向。

大熊座里大探秘

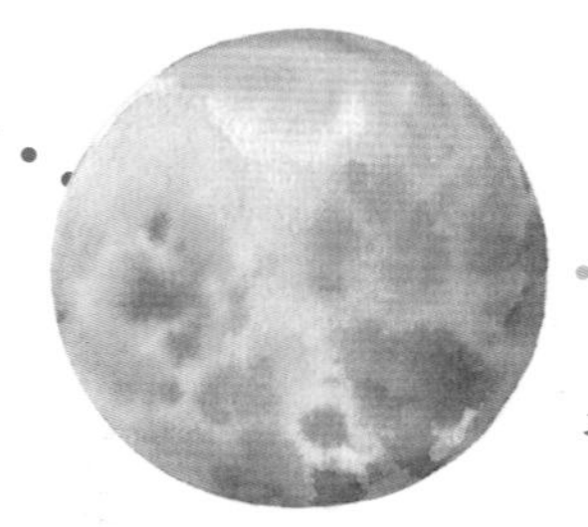

观星小指南

夏天，北斗七星在夜空中闪闪发光，这可是天上最著名的一串星星，我们找到北斗七星围成的大勺子，就能看到这只大熊的身影。

在大熊座里，最值得观赏的星星就是北斗七星，其他的星都很暗淡。首先，我们先找到北斗七星的“勺子把”，它由北斗七、北斗六、北斗五和北斗四组成。

远看是一颗星，近看是两颗星的北斗六，是人类进入望远镜时代最先发现的双星。

再沿着北斗七和北斗六找到风车星系。风车星系像一个旋转的风车，与北斗七和北斗六组成了一个三角形。

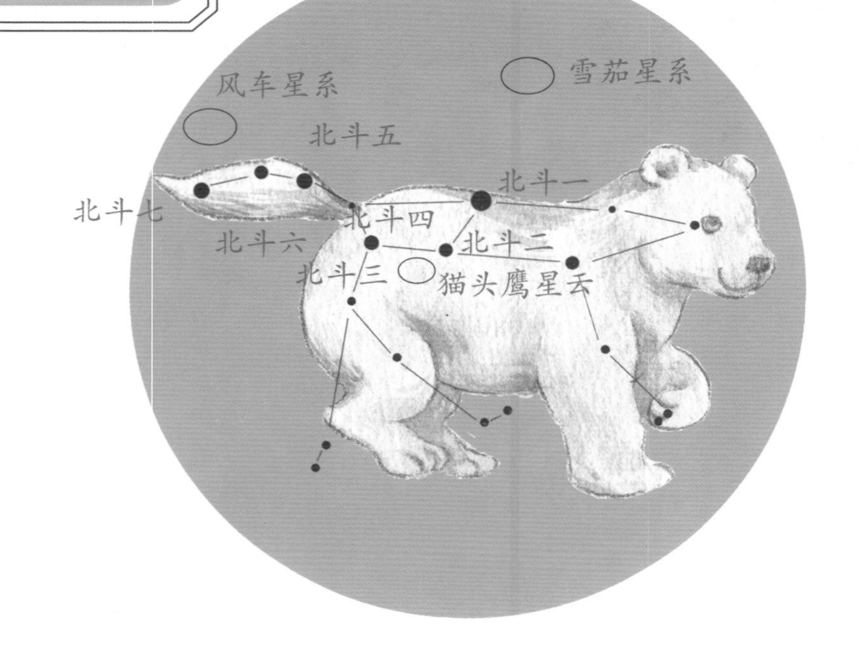

接下来，我们沿着勺子把找到勺底，勺底由北斗三、北斗二、北斗一组成。北斗一是北斗七星中最亮的星星，是一颗橙色巨星。

雪茄星系

然后，我们沿着勺底找一找雪茄星系，普通望远镜里只能看到棕白色相间的长条，像一支雪茄一样，故名“雪茄星系”。它是距离我们最近的星系之一，亮度大概是整个银河系的 5 倍。它是奇特的长条状结构，里面有无数个恒星婴儿。

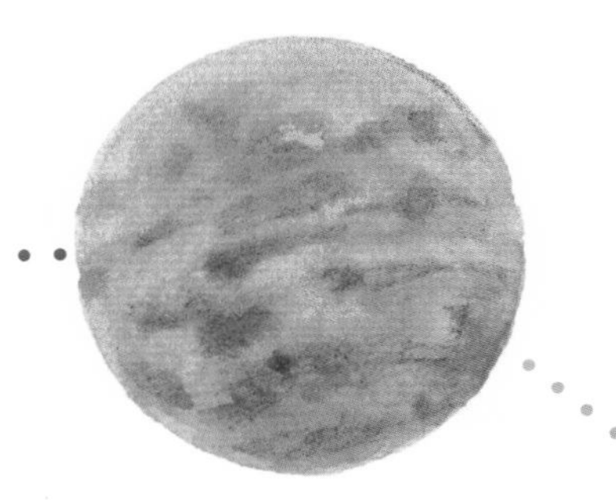

北斗四

北斗三

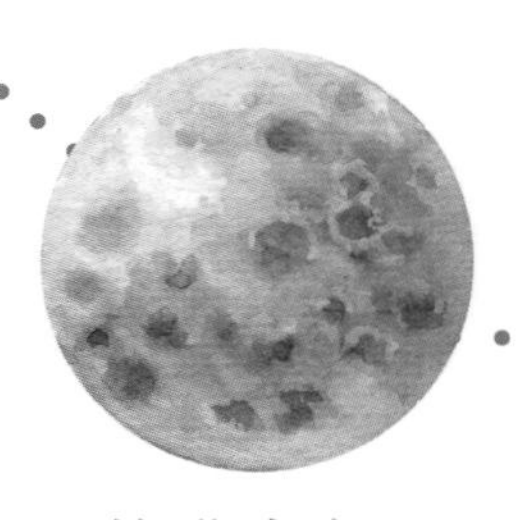

北斗一

北斗二

最后顺着勺底往下看，可以找到可爱的猫头鹰星云。它距离我们 2700 光年，其实是一颗老年恒星喷发的残骸，表面是湖蓝色的，中间有两个圆孔，就像猫头鹰的双眼，所以被称为猫头鹰星云。

猫头鹰星云

到这里，大熊座的探秘我们就基本完成啦！你找到了哪些星星呢？

古代的大熊座

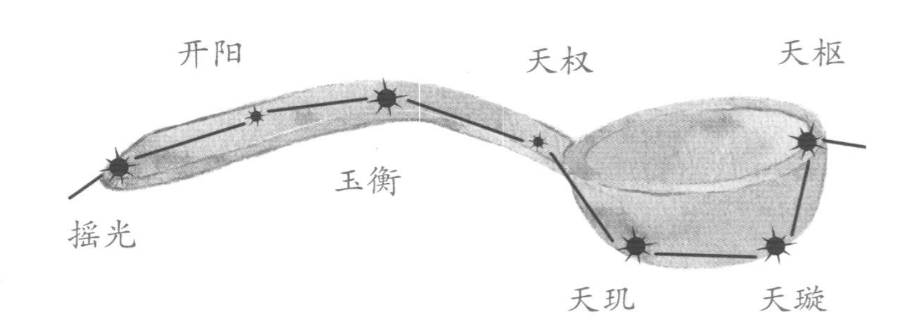

中国古代天文学家给北斗七星的每一颗星都专门起了名字，从北斗一到北斗七分别为天枢、天璇、天玑、天权、玉衡、开阳、摇光。其中，天枢、天璇、天玑、天权四颗星称“魁”。

在中国古代，北斗四又被称为“文曲星”，主管文运。民间有一种说法叫“文曲星下凡”，指的就是因文章写得好被朝廷录用的人。在科举时代，每逢大考，就会有很多读书人仰望北斗，祈祷高中。

北斗六，中国古代称“开阳”，它其实是一大一小两颗紧紧挨在一起的星星，小星星被人称为“辅星”，它们俩被叫作“开阳双星”。阿拉伯人说，这是骑士和马。印第安人说，这是妈妈背孩子。

据说，古代的阿拉伯士兵用开阳双星来检查视力，分得出这是两颗星星的人就合格，分辨不出的人就不合格。这种方法叫“阿拉伯视力检查”法。

大熊座与节气

5月，是孟夏时节，包括太阳运行到黄经45度和黄经60度时的两个节气，即二十四节气中的立夏和小满。

立夏，万物生长旺盛，动植物活动频繁。蝼蝈鸣叫，蚯蚓掘土，王瓜的藤蔓快速生长……

小满，麦类等作物颗粒饱满，但尚未成熟。小满前后，蚕就开始结茧了，因此南方一些地区又有“祈蚕节”。

春季，北斗七星的勺子把指向东方；夏季，勺子把指向南方；秋季指向西方；冬季指向北方。要是你哪天迷失了方向，就找一找大熊座的勺子。

失散的大熊小熊

希腊神话中，有一个美丽的姑娘卡利斯托，她被天神宙斯宠爱后，生下了一个孩子阿卡斯。

天后赫拉嫉妒卡利斯托的美貌，施展法术将她变成了一只大熊，使她成为被猎人追逐的猛兽，只能在森林里东躲西藏，日日呜咽着寻找她的儿子。

被人收养的阿卡斯健康地长大了，成为一名出色的猎手。有一天，他在森林里打猎，遇见了自己母亲变的大熊，变成大熊的卡利斯托嗅出了儿子的气味，便不由自主地奔向了他。

阿卡斯惊慌失措，拉开弓想要一箭射死大熊。危机之时，宙斯来了，为了拯救母子俩的性命，宙斯将阿卡斯变成了一只小熊，阿卡斯这才认出面前的大熊是自己的母亲，母子俩亲昵地依偎在一起。

为了让母子永远地在一起，宙斯给了他们大熊座和小熊座两个荣耀的宝座。

星星小知识

北极星会变吗？

北极星是天空北部的一颗亮星，离北天极很近，差不多正对着地轴。北极星指示着北方，千百年来人们靠北极星的星光来导航和探险。

由于地球运动的原因，指示北极的地轴并不是一成不变的，所以对我们来说，北极星也不是位置一直不变的某一颗星。实际上，很多颗星星都曾担任过“北极星”。哪颗星星距离北天极最近，它就可能成为地球上的“北极星”。

约4700年前，北极星是天龙座α星，在中国古代被叫作“右枢”。

1400多年前的隋唐时期，北极星是一颗非常暗淡的鹿豹座32H星，中国名字叫“北极五”。

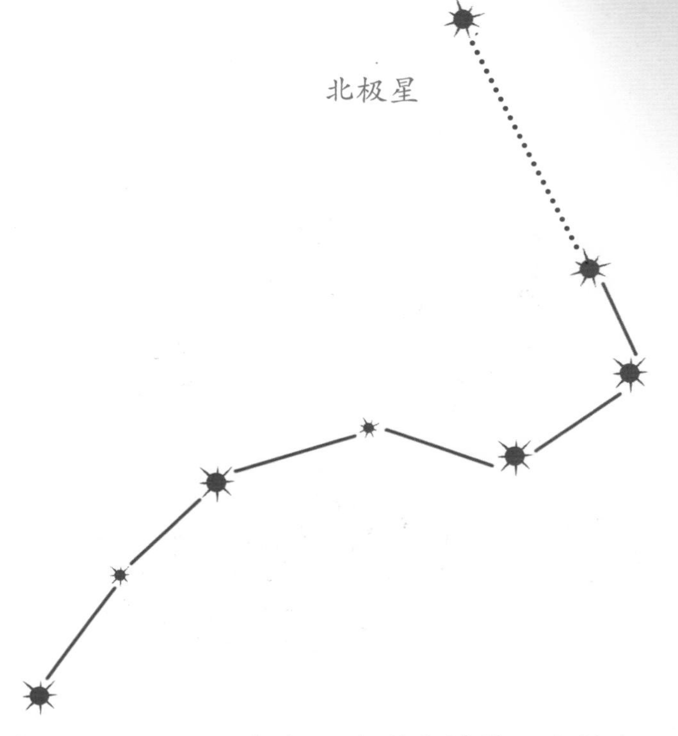

明清以来，位于小熊座的勾陈一才固定下来，成为我们现在看到的北极星并延续至今。

根据天文学家计算，大约在 12000 年以后，天琴座的织女星将会成为新的北极星，那将是有史以来最灿烂明亮的北极星。

6月星空的牧夫座

牧夫座，北天星座之一，在全天星座中面积排名13。除热带之外，南半球大部分地区都看不到完整的牧夫座，但在北半球的天空中，牧夫座是一个显眼的星座。

夏夜，仰望星空，夜空中似乎飘着一个大风筝，仔细瞧一瞧，原来是个巨大的五边形，像猎人的身躯。这是个踌躇满志的猎人，一手拿着长矛，急切地追赶着前面的大熊。

古希腊人说，这是牧夫座啊。

他们说这个猎人是被善妒的赫拉派出去的，她嫉妒大熊母子，于是派猎人在天上追赶它们。

牧夫座的神话故事可多了，让我们听着蛙鸣蝉叫，想象着牧夫座的来历，沉睡在银河梦乡吧。

牧夫座星大探秘

观星小指南

沿着北斗七星的斗柄画弧线顺势延伸出去，沿着弧线就能找到一颗光耀夺目的亮星——大角星。跟着大角星，就能找到牧夫座了，想象一下天上的牧夫在干什么呢？

大角星

大角星是牧夫座中最亮最著名的星星，它是仅次于大犬座天狼星、船底座老人星、半人马座南门二的全天第 4 大亮星。

大角星是距离地球最近的红巨星，有 36 光年的距离。我们在地球上看它是橘黄色的，它的直径是太阳的 21 倍。大角星是一颗末日恒星，生命将比太阳消逝得更快，然后会变成星云，最终变成白矮星。

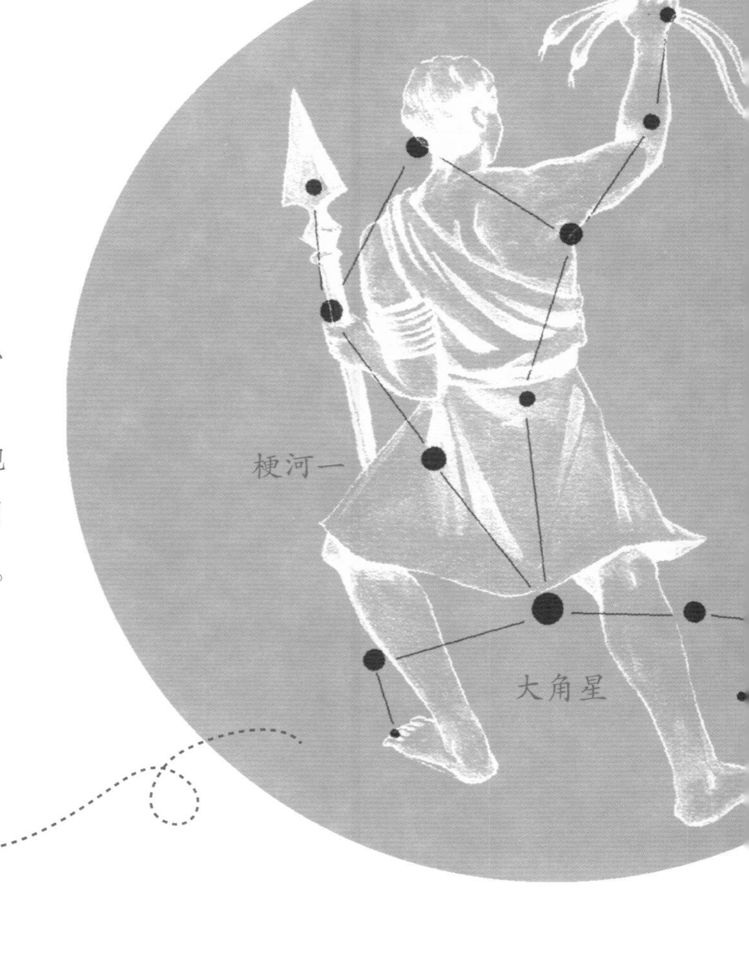

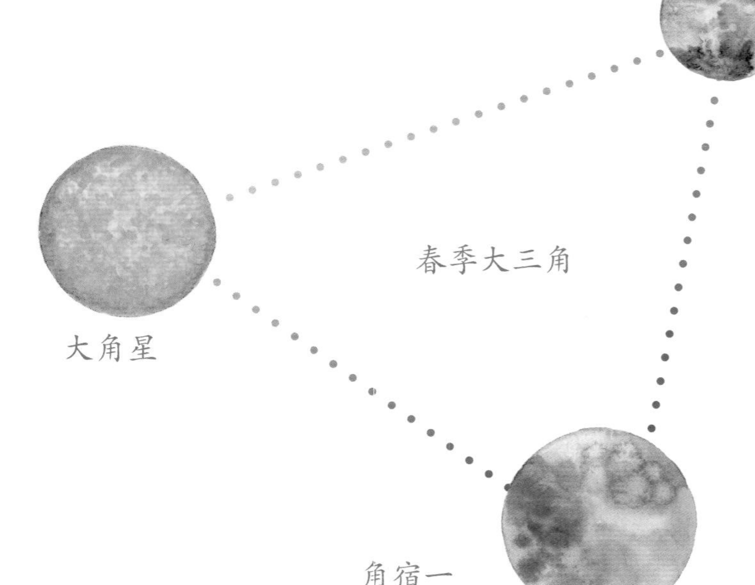

由于大角星特别明亮，因此人们常将它作为识别星座和判定方向的标志。比如春季大三角就是由牧夫座的大角星、室女座的角宿一和狮子座的五帝座一组成的正三角形。

梗河一

找完春季大三角，我们再来看看被天文爱好者们称为“最美的双星之一”的梗河一。它是一个双星系统，大的是黄巨星，小的伴星是蓝绿色的星星，它们一黄一蓝，在天空中分外璀璨。

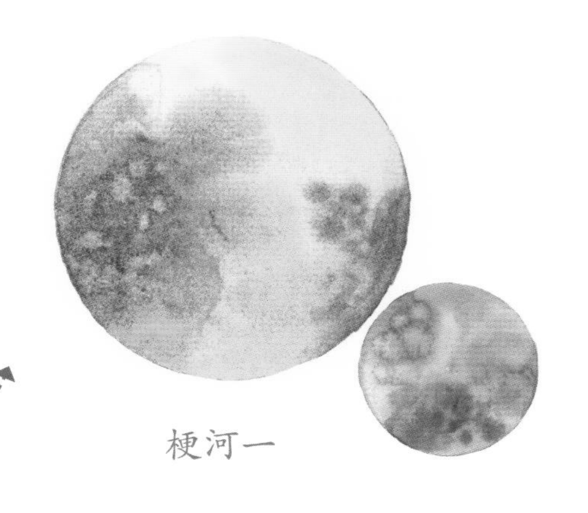

梗河一

牧夫座流星雨

牧夫座里也有流星雨，6 月底、7 月初是观看牧夫座流星雨的好时机。不过，要看到它需要运气，因为牧夫座流星雨的出现没有一丁点儿规律，有些年份里规模极大，另一些年份里又没有踪影，好像故意和人们捉迷藏。

牧夫座空洞

牧夫座里还有一个著名的巨大空洞，被称为超级空洞，它距离地球大约 7 亿光年，直径大约 2.5 亿光年。人们这样形容它：“如果银河系位于牧夫座空洞的中心，那么人类直到 1960 年也不会发现其他星系的存在。”

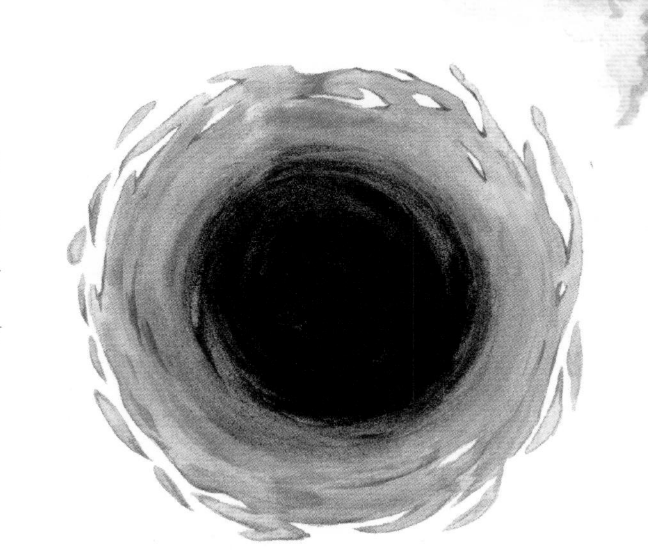

古代的牧夫座

在中国，牧夫座的大角星属于东方青龙七宿之一的亢宿，是青龙的一只角。古人曾经认为它是角宿里最亮的星星，因此得名“大角”。后来人们又把它从角宿中开除了，列入亢宿，不过它还是东方青龙里一颗重要的星星。

中国古代的天文学是为皇帝、皇权服务的，主要用于推算节气，制定历法，占卜吉凶。古人认为，天上的星星发生变化，就是人间吉凶的征兆。怪不得古装电视剧里总说：“臣昨日夜观天象，发现紫微星暗淡，乃大凶之兆！”

中国的古人把天上的星星划分为三垣二十八宿，三垣分别为紫微垣、天市垣和太微垣。其中紫微垣就是天上的“紫禁城”，是天帝居住的地方。牧夫座里的天枪三星和玄戈三星就是镇守紫微垣的兵器，大角星是天帝的朝廷。

牧夫座的三颗星被划入天市垣，天市垣是天上的市集，象征平民百姓居住的地方。太微垣则是官署的象征。

牧夫座与节气

牧夫座在天空的时候，是仲夏时节，包括太阳运行到黄经 75 度和黄经 90 度时的两个节气，即二十四节气中的芒种和夏至。

芒种，又名“忙种”，农人的田间劳作忙起来了。这时候空气潮湿，天气闷热。

夏至，是北半球白昼最长、黑夜最短的一天。夏至后进入炎热季节，雄蝉鼓翼而鸣。

古希腊人将牧夫座的大角星视为季节更替的信号，当大角在黎明前从东方升起，象征秋季到来，就表示葡萄熟了。

牧羊人与酿酒师

希腊神话中，酒神的徒弟伊卡里奥斯心地善良，痴迷酿酒。有一天，他好心好意把酿出来的酒给一个路过的牧羊人品尝。这个牧羊人从没喝过酒，一下就喝醉了，以为伊卡里奥斯放了毒药，一生气就把他杀死了，酒醒过来发现是误会，只好埋葬了他。

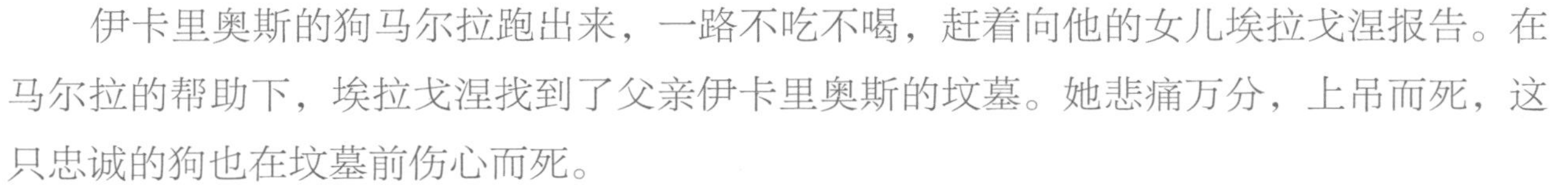

伊卡里奥斯的狗马尔拉跑出来，一路不吃不喝，赶着向他的女儿埃拉戈涅报告。在马尔拉的帮助下，埃拉戈涅找到了父亲伊卡里奥斯的坟墓。她悲痛万分，上吊而死，这只忠诚的狗也在坟墓前伤心而死。

住在奥林匹斯山顶的天神宙斯知道后很同情他们的遭遇，就把伊卡里奥斯带上天变成牧夫座，埃拉戈涅变成室女座，把狗变成大犬座。从此，他们在天上团聚了。

星星小知识

恒星的一生

1

一颗恒星是永恒存在的吗？它能活多久呢？其实，恒星的一生跟人的一生很像，从出生、成长、青年、壮年到老年，最后消失。只是，恒星的一生比人的一生长得多。

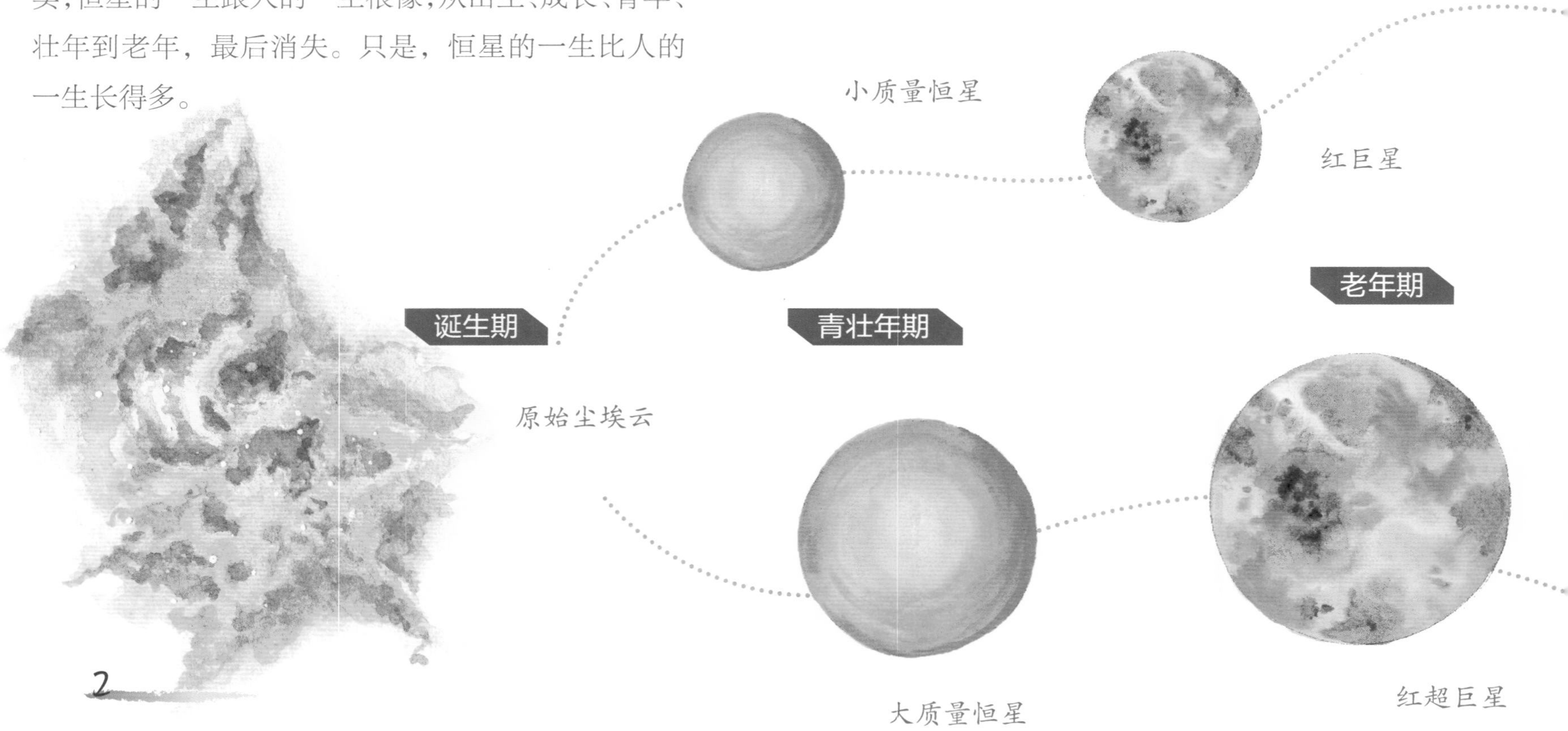

诞生期

原始尘埃云

青壮年期

小质量恒星

大质量恒星

老年期

红巨星

红超巨星

2

气体和尘埃组成的无尽的尘埃云，是恒星诞生的摇篮。尘埃云也像恒星的“托儿所”。

尘埃云诞生初期温度极低，但是引力让内部物质不断摩擦，温度开始显著上升。

3

在引力作用下，物质们受重力作用影响旋转成一个碟子的形状，碟子中心凝聚成球体，这就是原始的恒星。

恒星的温度越来越高，来到青壮年时期。这一时期的恒星状态很稳定，分为大质量恒星和小质量恒星，超过太阳质量的 8 倍为大质量恒星。

4

红巨星和红超巨星是恒星膨胀进入老年期的开始，这个过程很短，它们的表面温度大大降低。

5

接下来的演化过程取决于恒星的质量。小质量恒星喷射出行星状星云，大质量恒星在死亡前会有一场超新星爆炸，那是宇宙中最明亮的爆发之一。

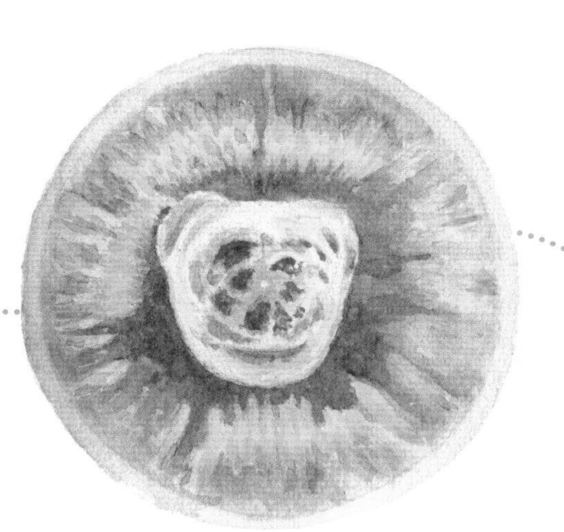

行星状星云

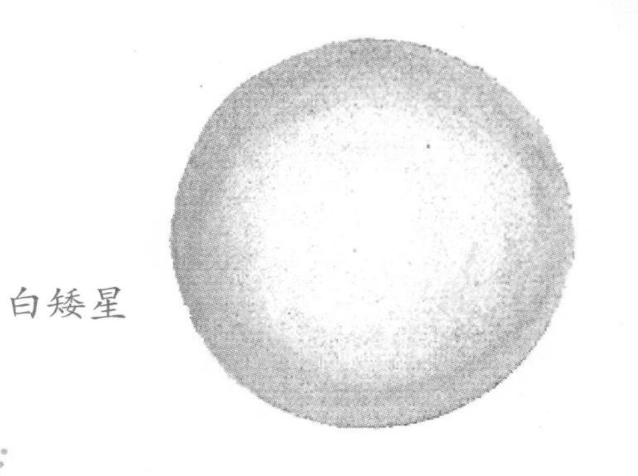

白矮星

6

恒星迎来了它们最终的归宿，这时的星星已经不会发光了，小质量的变成白矮星，大质量的变成中子星，如果恒星的初始质量超过太阳质量的20倍，最终会演变为黑洞。黑洞的引力能将一切都吸进去，连光都不例外。

衰退期

中子星

超新星

黑洞

7月星空的天蝎座

天蝎座，黄道十二星座之一，虽然面积不大，但它有很多灿亮的星星，是夏天最为显眼的星座。天蝎座是一个接近银河中心的星座，它长长的蝎尾都拖到银河里去了。

7月的夜晚，一颗红通通的星星爬上南方的天空，悬挂在离地平线不远的地方。这颗星星又红又亮。仔细一看，哇，这好像一只蝎子的眼睛呢！它在夜空里爬呀爬，蝎尾一直延伸到银河里去了。

古希腊人说，这是天蝎座啊。

7月是火红的月份，当人们在夜空中看到这只蝎子时，就知道这是炎热的盛夏啊。

天蝎座里大探秘

观星小指南

在夏天的晚上八九点钟，我们在南方地平线上方不远的地方，能找到一颗亮亮的星星，这就是天蝎座的心大星。天蝎座亮星又大又多，你能看到这只亮闪闪的蝎子正在“耀武扬威”吗？

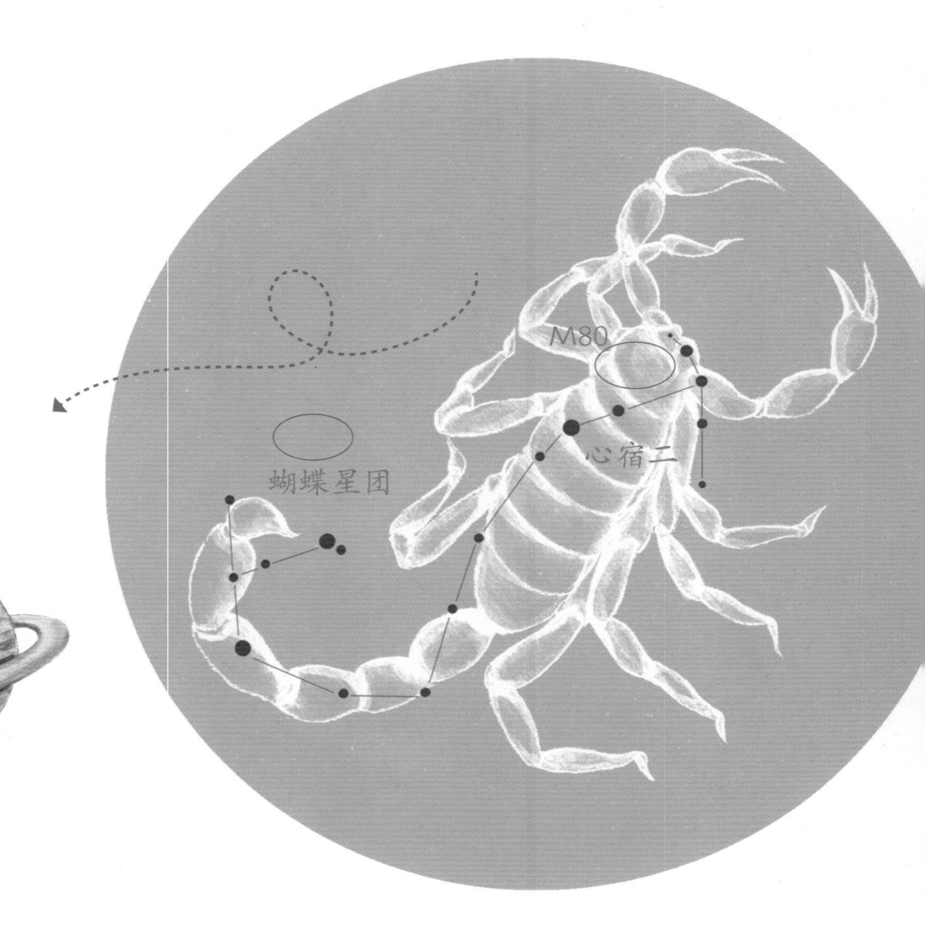

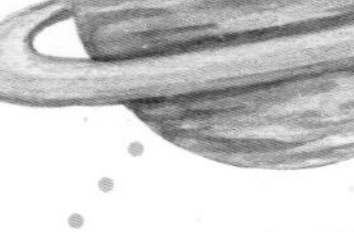
土星

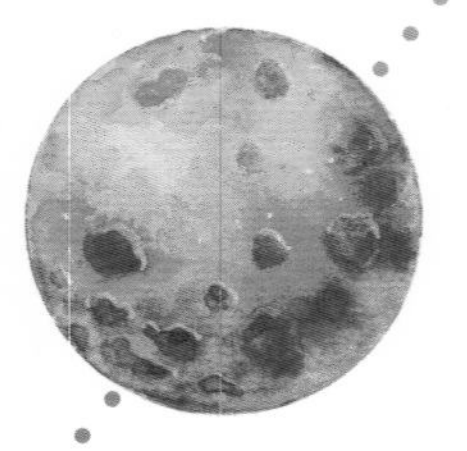
火星

心宿二

心宿二

天蝎座是夏夜星座的代表，灿亮的星星特别多，有一些星星还连成一条直线。但其中最重要也最值得观赏的星星是大名鼎鼎的心宿二，我们也叫它“心大星”。它是天蝎座之心，是很亮的一等星，还有一颗蓝色矮星作伴星。

在 2016 年，心宿二和美丽的土星、火星上演了奇妙的“三星一线”现象。这种奇妙的天象每 30 年才发生一次。

星团

除了心宿二，天蝎座上还有许多特殊的星团值得看一看。有结构松散、形状不规则的疏散星团，还有看起来非常紧密的球状星团。

距离心宿二不远的地方，有一个非常有名的球状星团 M80，它是已知最密集的星团之一，将近 10 万颗恒星聚集在一个直径为 95 光年的球状空间内。

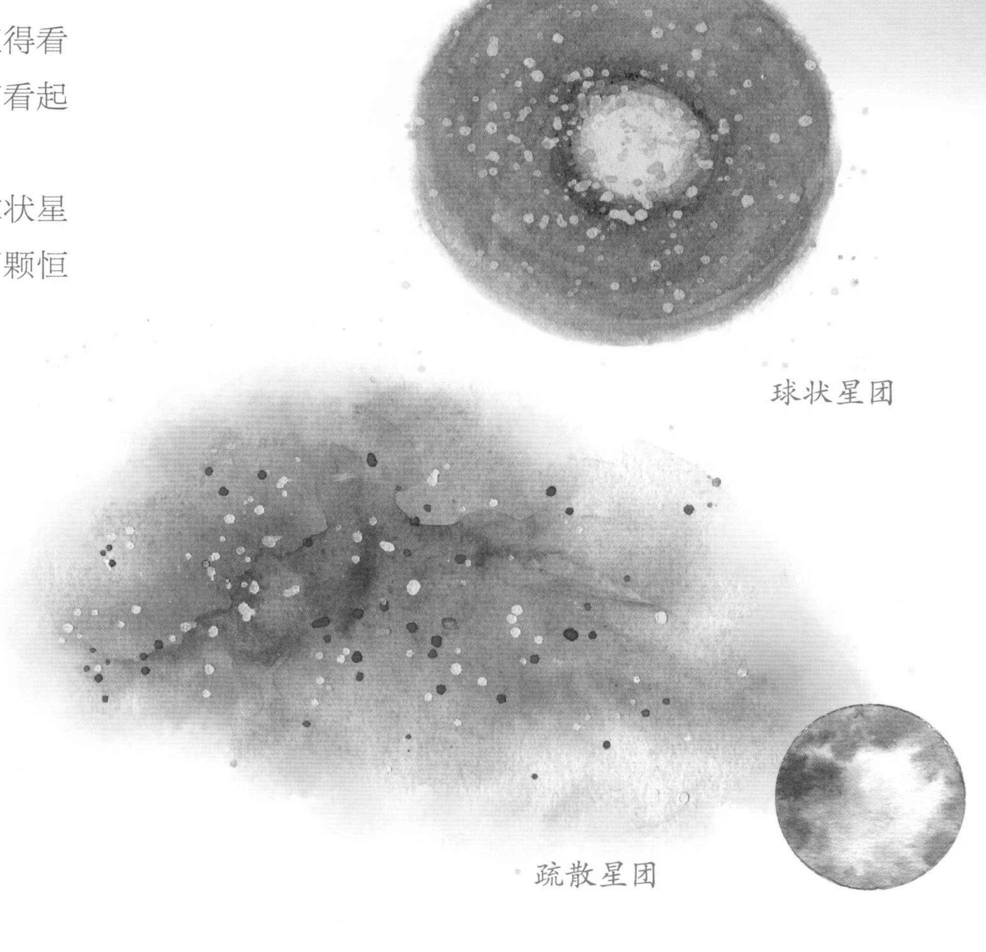

球状星团

疏散星团

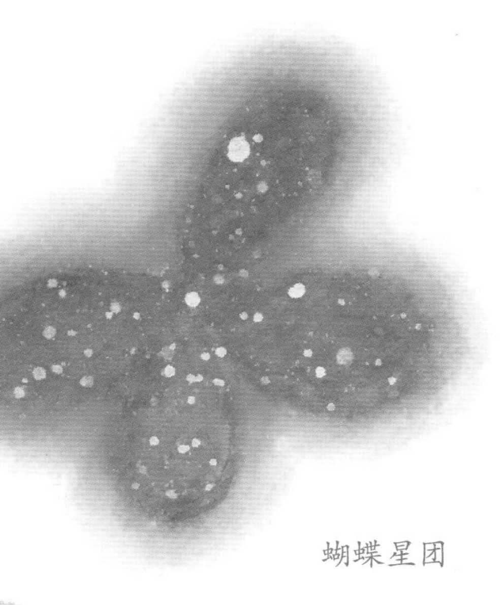

蝴蝶星团

顺着天蝎的身体找到它的尾巴，著名的蝴蝶星团就在天蝎的尾巴上方。这是天空中最为著名的疏散星团之一，外形像一只色彩斑斓的蝴蝶。这个星团里有许多蓝色的亮星，最亮的一颗星却是橙色的。它距离我们约 2000 光年。

用望远镜看一看，你找到它了吗？

古代的天蝎座

在中国古代，天蝎座的三颗星星被列入心宿，也叫商宿、商星。心宿二就是其中之一。

心宿二又被称为“大火星”，这跟我们现在说的“火星”可不一样。“大火星”这个名字是怎么来的？传说这和远古时期一个叫阏伯的人有关系。他是传说中的火神，负责观测心宿二，通过心宿二的位置判断时间，指导农业活动。而且它引人注目的红色，很像一颗燃烧着的火星，因此便得名“大火”。

当它出现在南方地平线上空的时候，夏天就要结束，秋收时节便要到了。

“2 月星空的猎户座”里有说过杜甫的“参商不相见”，你还记得吗？天蝎座的商星和猎户座的参星在天空中相隔 180 度，此升彼落，永远不相见。

古代波斯人认为心宿二是守护天球的四根柱子之一，撑起高高的天空。西方传说中，它和太阳神的儿子驾的火马车有关系，全世界都注意着这颗像燃烧着的熊熊火焰般的红色亮星。

天蝎座与节气

天蝎座到来的时候，是季夏时节，包括太阳运行到黄经 105 度和黄经 120 度时的两个节气，即二十四节气中的小暑和大暑。

大暑，腐草为萤，土润溽暑，大雨时行。这是说大暑是盛夏最炎热的时候，古人认为腐烂的草会化成萤火虫，土地潮湿，常常会有大雷雨出现。荷花、茉莉相继开放了。

《诗经》有云：“七月流火，九月授衣。”是说七月大火星出现了，夏天就要过去了，天气转凉，暑气渐渐消退，到了九月就该做寒衣了。

小暑，温风至，蟋蟀居壁，鹰始鸷。这是说小暑天气开始炎热，风中都带着热浪，蟋蟀都在庭院下避暑，幼鹰由老鹰带着学习飞翔。

失去控制的太阳车

在希腊神话中，太阳神阿波罗的儿子法厄同自负又好强。有一天，有人告诉他：“你根本不是太阳神阿波罗的儿子。”法厄同便执意要驾驶太阳车，以证明自己是太阳神的儿子。

太阳是万物生息的主宰，太阳车要按照一定的轨道运行，否则会酿成大祸。

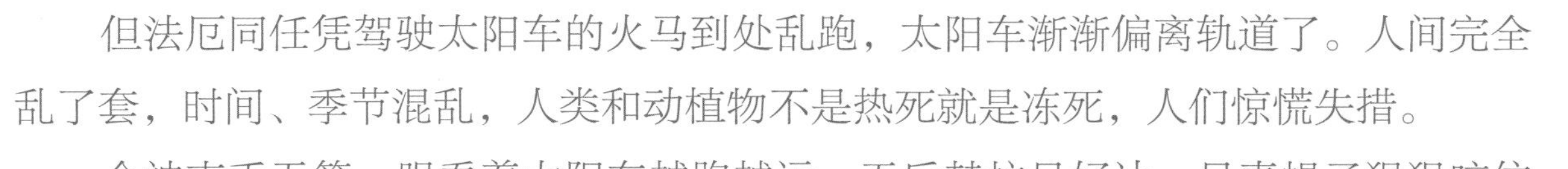
但法厄同任凭驾驶太阳车的火马到处乱跑，太阳车渐渐偏离轨道了。人间完全乱了套，时间、季节混乱，人类和动植物不是热死就是冻死，人们惊慌失措。

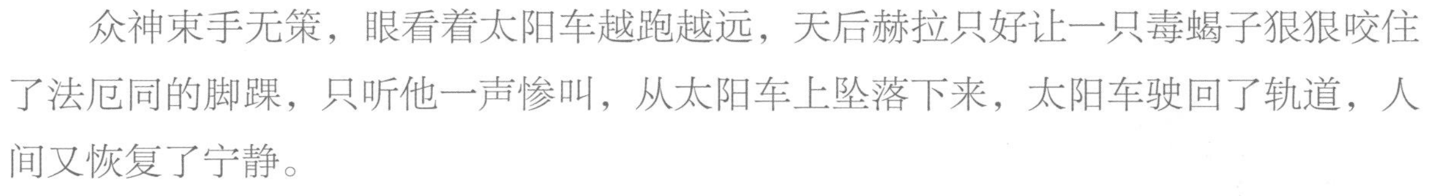
众神束手无策，眼看着太阳车越跑越远，天后赫拉只好让一只毒蝎子狠狠咬住了法厄同的脚踝，只听他一声惨叫，从太阳车上坠落下来，太阳车驶回了轨道，人间又恢复了宁静。

为了纪念这只蝎子的贡献，天神就把它留在天上成了天蝎座。

星星小知识

宇宙里的星云、星团和星系

宇宙中有很多星团、星云、星系，它们各自有何特点呢？

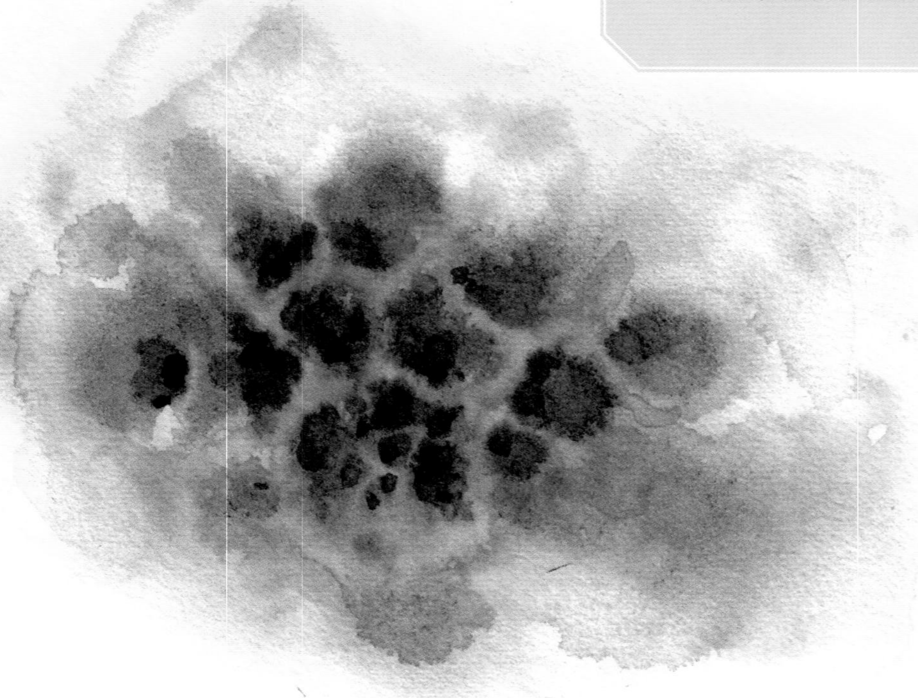

弥漫星云

星星的摇篮——尘埃云

星云是一个广泛的概念，来自于过去观测技术不发达时看到的云状天体。有些星系、星团、行星状星云都有星云的名称，但它们都不能产生恒星。能产生恒星的星云是富含氢的尘埃云，被称为“星星的摇篮”。著名的猎户座马头星云就是正在产生恒星的尘埃云。

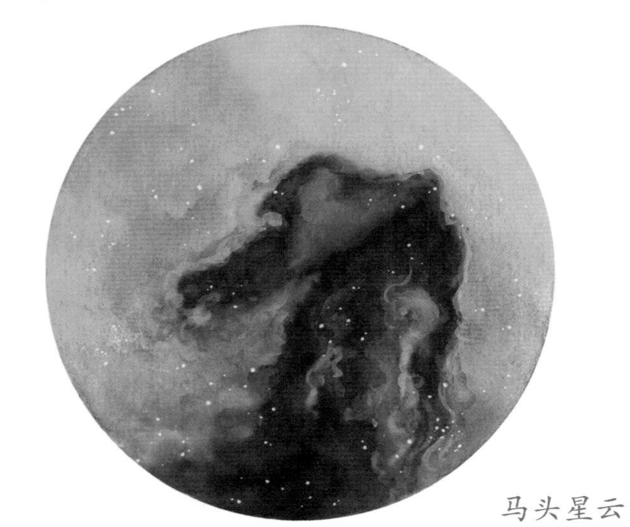

马头星云

恒星的“出场方式”之一——星团

恒星以单星、双星、聚星和星团等形式出现，10个以上的恒星因为引力聚集在一起就形成了星团。

星团可以分为疏散星团和球状星团两类。疏散星团排列得相对松散，形状不规则，而球状星团中的恒星则密集地挨在一起，聚成一个球状。

球状星团

疏散星团

单星

双星

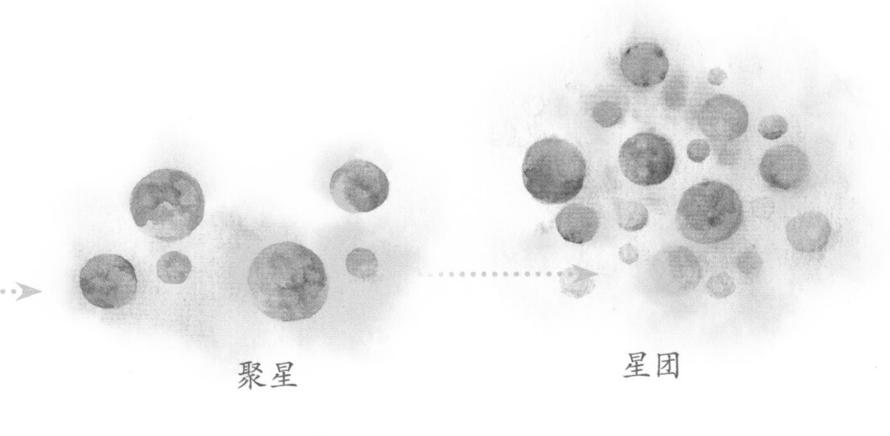

聚星

星团

宇宙中的岛屿——星系

茫茫的宇宙海洋中，还有各种各样的“小岛”，这就是星系。万亿颗恒星和气体云、尘埃云由于引力作用聚集成为星系，我们地球所在的太阳系就是巨大的银河系的一员。银河系有银盘和银晕，恒星和气体云聚集在银盘中，银晕在银河系外围稀疏分布，富含古老恒星的球状星团都住在银晕中，散发出璀璨的星光。

星系

西方的星座

西方星座起源于古巴比伦，在公元前1000年前后已经有30个星座。古希腊天文学家托勒密在前人基础上整理并编制了48星座。他把星座想象成各种形象，还用神话故事命名和解释星座的由来，但这些星座都是在北半球观察到的。

海豚座、天箭座、蝎虎座、后发座、北冕座……

北天星座

随着航海时代的到来，航海家来到南半球，发现了很多在北半球看不到的星星，于是把它们补充到星座里。南天星座大部分都是用仪器来命名的，如显微镜座、望远镜座等。

南天星座

到 1928 年，国际天文学联合会为了统一繁杂的星座，规定了 88 星座，让地球天空上的每一颗恒星都归属于特定的星座。

根据 88 个星座能观测到的不同位置和恒星出没的情况，又划成五大区域，即北天拱极星座（5 个）、北天星座（19 个）、黄道十二星座（天球上黄道附近的 12 个星座）、赤道带星座（10 个）、南天星座（42 个）。

在全天 88 星座中，长度最长、面积最大的星座是长蛇座，面积最小的是南十字座。

在左图中找一找，你能将星座名与星座图一一对应起来吗？

十二星座

太阳在天球上的运行轨迹叫作黄道面，黄道的12个星座分布在黄道面两边。与天文学的12星座不同的是，占星学的12星座是将黄道均匀划分成12个区域，每个区域代表一种星座，与出生日期挂钩，给星座赋予性格特征。这是我们更加熟悉的十二星座，但并不科学，不符合天文学的知识，小朋友可以用作娱乐，但千万不要当真哦。

1月20日至2月18日
适应力强的水瓶座

2月19日至3月20日
热爱幻想的双鱼座

3月21日至4月19日
真挚坦诚的白羊座

4月20日至5月20日
固执倔强的金牛座

5月21日至6月21日
特立独行的双子座

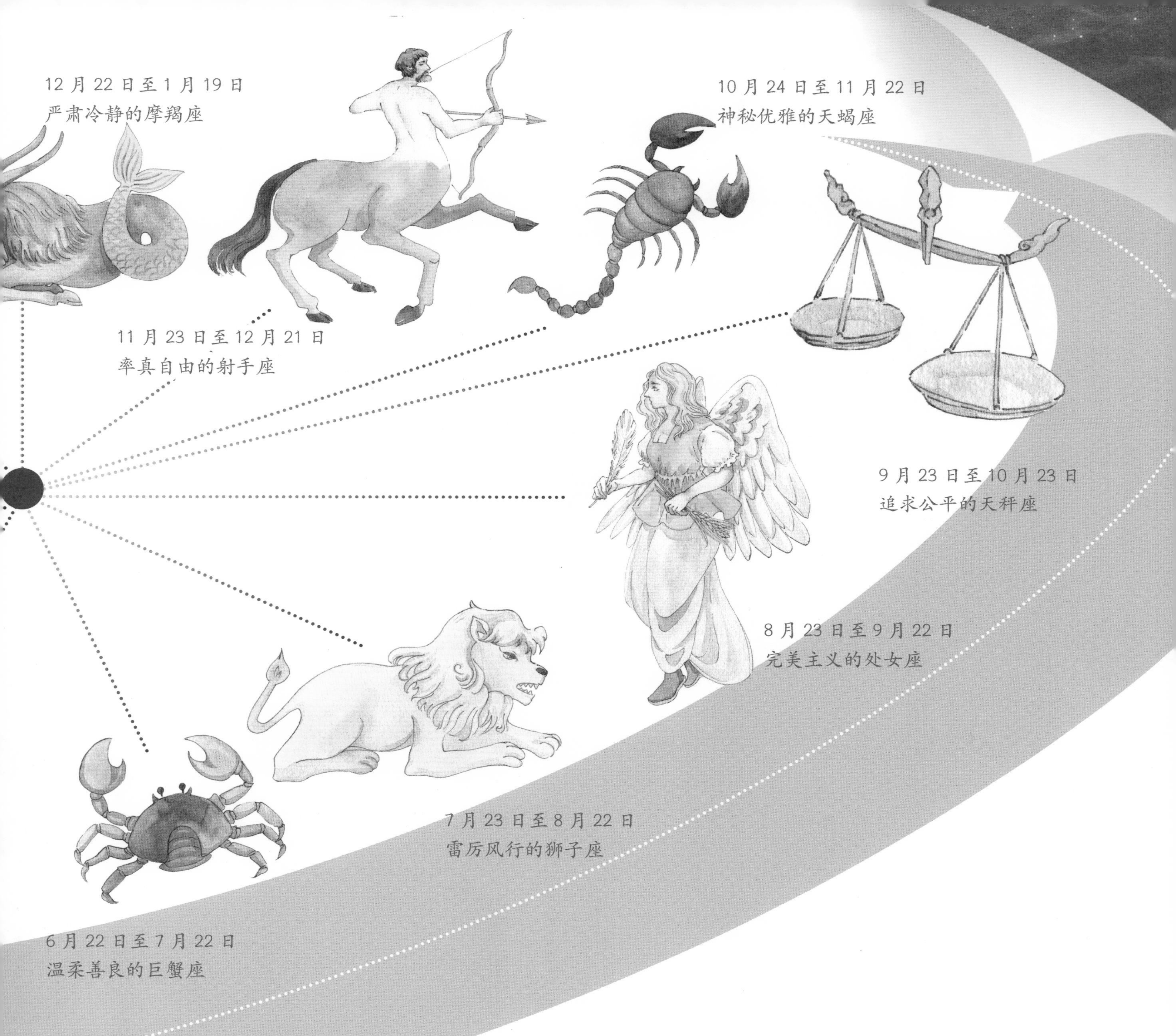
12 月 22 日至 1 月 19 日
严肃冷静的摩羯座
10 月 24 日至 11 月 22 日
神秘优雅的天蝎座
11 月 23 日至 12 月 21 日
率真自由的射手座
9 月 23 日至 10 月 23 日
追求公平的天秤座
8 月 23 日至 9 月 22 日
完美主义的处女座
7 月 23 日至 8 月 22 日
雷厉风行的狮子座
6 月 22 日至 7 月 22 日
温柔善良的巨蟹座

一次完美的星空露营

我们向往星空，而城市里的星空总是灰蒙蒙的。我们想象着，深蓝的天幕上布满星星，我们躺在星辰下安睡。在初夏的夜晚，选择光污染小的山村或者当地的露营谷，来一场星空下的夜宿吧。

基础装备

帐篷、睡袋、防潮垫、露营灯、望远镜

帐篷的选择要考虑到人员的数量，还要根据当地天气状况选择不同的防水系数。睡袋和防潮垫也是必不可少的，睡袋的选择要考虑到夜晚的气温。

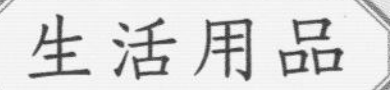

生活用品

水壶、帽子、服装、洗漱用品、食物

小物件

帐篷灯、手电筒、小口哨、防虫药物、急救包、垃圾袋

小朋友，这些装备的作用你都清楚吗？

头戴户外帽，挂上口哨和望远镜，脚踏运动鞋，背上小背包，合格的露营家诞生了。

到达露营点后，首先要观察地形，学会辨别风向与方位，选择视野开阔的平坦高地，这样才可以看到更辽阔的星空。

搭好帐篷后，挂好帐篷灯，把手电筒放在随手可拿到的地方，以便应对夜间发生的意外事件。

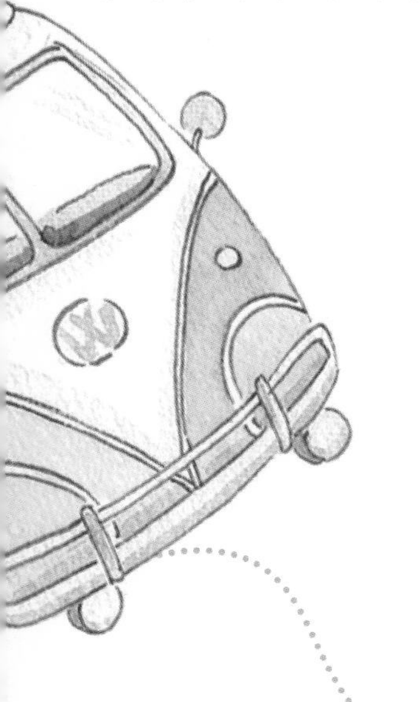

夜晚降临，抬头就看见满天星辰，拿起望远镜还能看到更多的星星，把星星连成星座试试看，运气好的话，还能遇见流星雨呢！

做一个指南针

我们知道，在科技不发达的时代，人们航海都会带上指南针，靠它辨别方向。

指南针是中国古代四大发明之一，早在2000多年前，我们的祖先就制作了司南，后来慢慢演化出了水浮司南、罗盘等更高级的指南针。

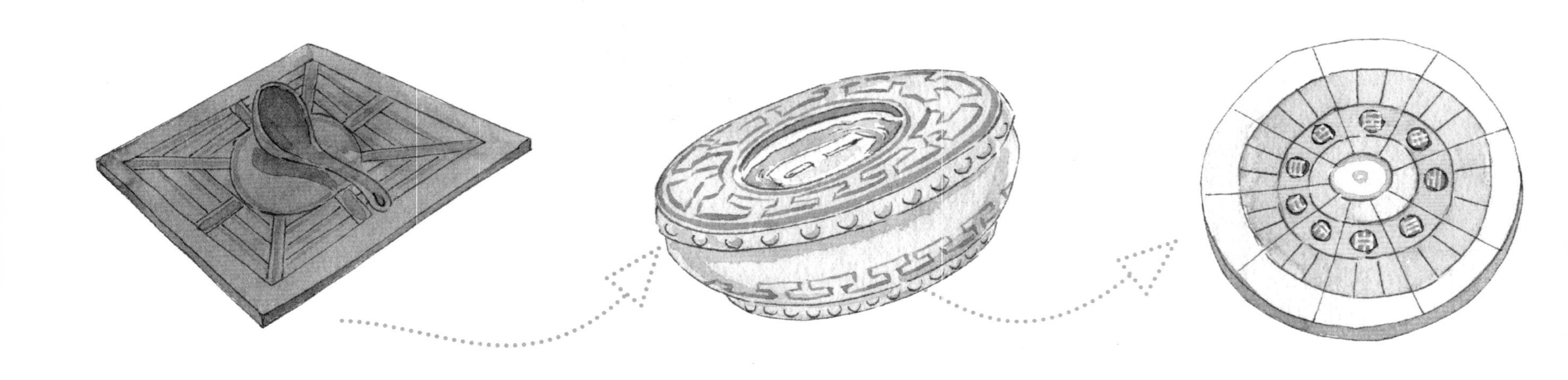

为什么指南针指向南方呢?

地球是一个大磁场，但是地球的两个磁极与地理方位刚好相反，地球的北极是地磁场的南极，地球的南极是地磁场的北极。

当两个磁铁靠近时，同极相斥，异极相吸。因此，指南针上的南极与地磁场的北极相吸，指针就指向南方啦!

指南针为什么不叫“指北针”呢?

原来，中国古人在生活中，面南为尊，面北为卑，并且南为阳，北为阴，房子的朝向也大多是坐北朝南，指南针指向南方的用途比较多，所以就叫指南针。

既然了解了指南针，让我们来做一个简易的指南针吧。

准备材料：绣花针、硬纸片、水和碗。

1

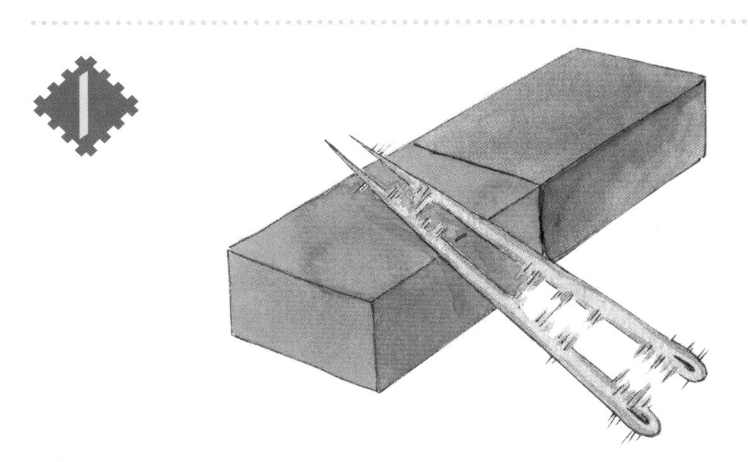

用磁铁的一极沿同一方向把针摩擦 20 次以上（使针磁化），做成小磁针。

2

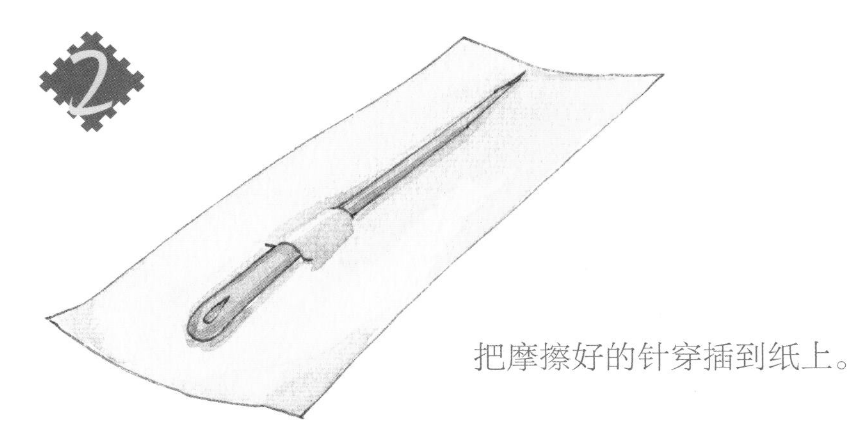

把摩擦好的针穿插到纸上。

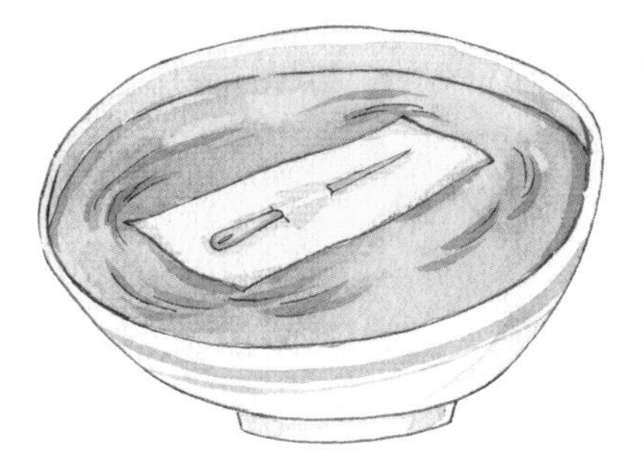

把它放在盛水的碗中转动，观察针尖的指向，磁针两头指向的方向就是南北啦。

4

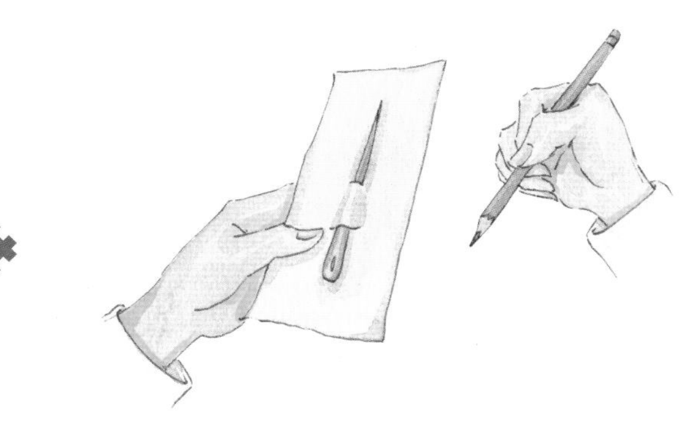

根据太阳东升西落的规律，找出南北的方向，最后拿出小纸片，晾干后标出南北，简易的指南针就做好了。